더 타고 싶어.

시소

그네

 책 발자국 Level 0

더

글 김미혜 그림 차선희

교육공동체벗

선생님과 학부모님께

이 그림책은 초기 문해력 교육을 위한 수준 평정 그림책입니다.
아이의 읽기 행동을 관찰하고 기록한 결과를 바탕으로 아이의 눈높이에 맞는
책을 골라 주세요. 아이 스스로 책을 선택할 수 있게 해 주시면 더 좋아요.
그리고 가정과 학교에서 아이와 함께 안내된 읽기를 해 주세요.
이 책에는 한글의 세 번째 모음 'ㅓ'가 들어간 '더'라는 낱말이 반복해서 나옵니다.
'정글짐'과 '미끄럼틀', 횟수를 셀 때 쓰는 낱말 '번'에도 'ㅓ'가 들어 있어요.
책을 읽으면서, 놀이터에서 친구들과 신나게 놀았던 경험에 대해 아이와
이야기해 보세요. 또 더 타고 싶은 놀이 기구가 있었는지, 친구와 어떤 놀이를
더 하고 싶었는지 대화를 나눠 보세요. "○○을/를 더 타고 싶어.",
"△△을/를 더 하고 싶어."라는 문장 표현도 연습해 보면 좋습니다.

정글짐

미끄럼틀

한 번

두 번

세 번

더 더

더 타고 싶어.

이 책은 _____ 의 것입니다.

더

ⓒ 김미혜, 차선희, 2025

2025년 11월 3일 처음 펴냄

글쓴이 김미혜 | **그린이** 차선희 | **편집** 이진주 | **디자인** 더디앤씨 | **인쇄** 보명C&I | **제작** 세종PNP
펴낸이 김기언 | **펴낸곳** 교육공동체 벗 | **이사장** 오정오 | **사무국** 최승훈, 설원민, 공현
출판등록 제2011-000022호(2011년 1월 14일) | **주소** (03998) 서울시 마포구 월드컵북로7길 76-12 102호
전화 02-332-0712 | **전송** 0505-115-0712 | **홈페이지** communebut.com

ISBN 978-89-198-3 67700
ISBN 978-89-195-2(세트)

더	BFL	0
	어절 수	18

값 2,300원

사용 연령
6세 이상

ISBN 978-89-6880-198-3
ISBN 978-89-6880-195-2(세트)